HOW TO USE FUCK

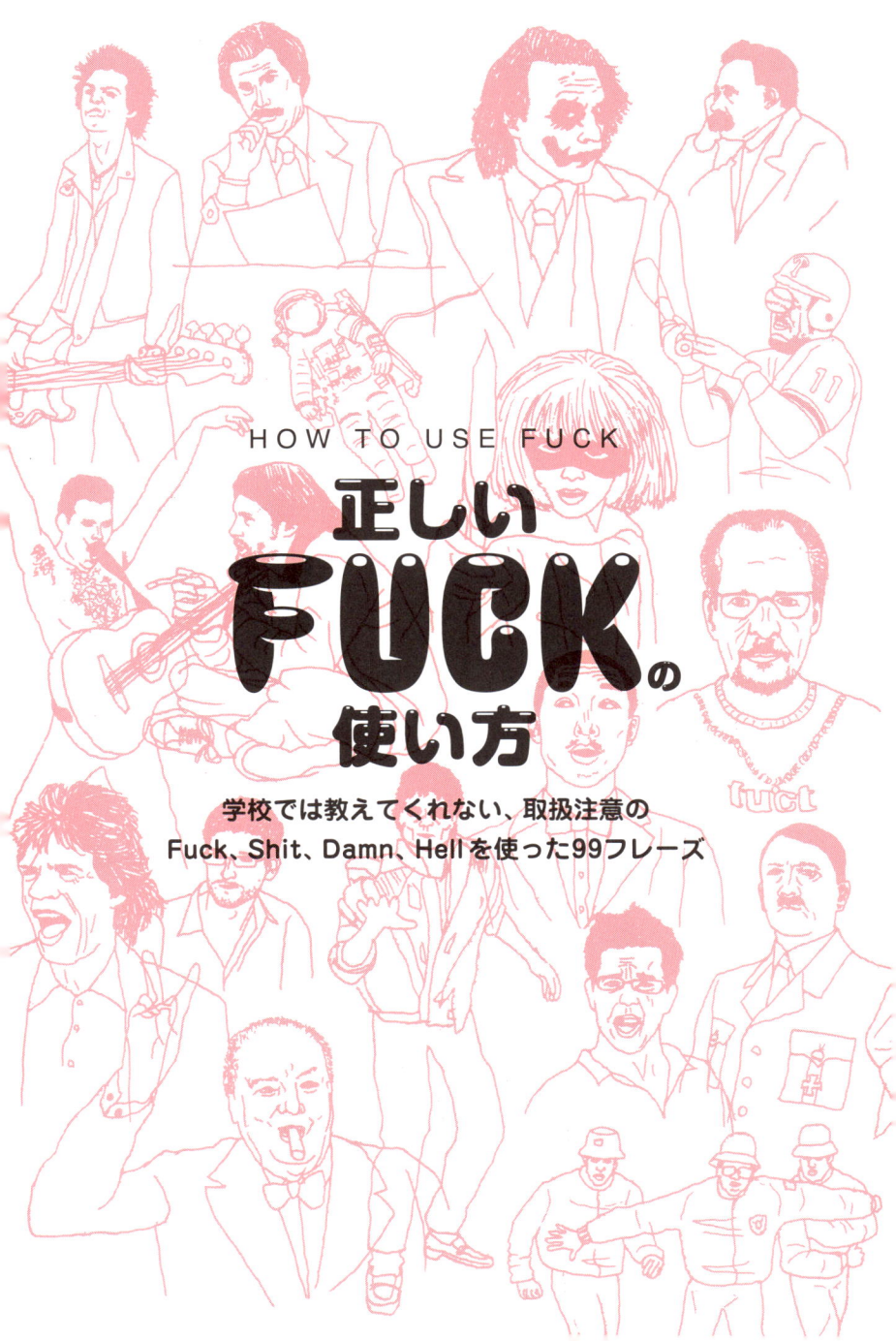

正しいFUCKの使い方

学校では教えてくれない、取扱注意の
Fuck、Shit、Damn、Hell を使った99フレーズ

本書をつかう上での注意点

　勇気を持ってお手に取っていただきましてありがとうございます。本書は、世の中で卑猥な俗語「Fuck」「Shit/Crap」「Damn」「Hell」など、放送禁止と言われている英語用語を使った説明書です。ネイティブな会話に持ち込むには、なかなか難易度の高い参考書になりますので、まずは気軽にイラストを見ながら笑いながら読んでいただけたら幸いです。

　これらの用語は、実際に卑猥な意味合いで使われることは少なく、「Very much」と同じような表現として、また副詞や形容詞の強意表現として使われています。映画やネイティブの会話でもこれらの単語を聞いたことあるなぁと思った方も多いでしょう。そうです。感情が高まったり、言葉の意味を強めたい時に使う「人として本来あるべき原始的な感情表現」と言っても過言ではないでしょう。またイントネーションや前後の文脈によって「いい意味」「悪い意味」としての表現でも使われます。

　ただし、ここで気をつけたいのは、

●やはり卑猥な意味にも使う
●ひどい侮辱にもなる
●怒りや嬉しい、超すごいや超ひどいなど、「いい」場合と「悪い」場合両極の意味を持つということです。

　間違って使うと、とんでもないことになります。まず初心者は例文と同じようなシチュエーション時にごく親しい友人だけに、もしくはひとり言で言ってみることをおすすめいたします。

さらに正しい発音をしたい場合は、「正しい英語発音の仕方」のリスニングCDを聞いて、繰り返し声に出して練習してみましょう。そこから段階を踏んで行くことから慣らして徐々に感情のこもった会話を始めていきましょう。

　本書では使うシチュエーションで、「いい意味」や「悪い意味」にもなるハイレベルで取扱要注意な用語をチャプター1として「fuck」を筆頭に、次に取扱注意のレベルとしてチャプター2に「Shit」とその代用で使える「Crap」、そして誰に言っても許されるレベルとしてチャプター3「Damn」、チャプター4に「Hell」をレベル順にあげています。下記に表にしました。レベル6が取扱を一番慎重に使うべき用語となり、誰に対しても一番気軽に使えるのがレベル1となります。

FUCK	最高に取扱注意	レベル6
SHIT	中間に取扱注意	レベル5
BITCH	女子に取扱注意	レベル4
ASS	ちょい普通	レベル3
DAMN	ま、普通？	レベル2
HELL	一般的かも	レベル1

くれぐれも近所の子どもや見知らぬ人や目上には使用しないでください。取扱いを誤った場合に危険な状況が起こりえて中程度の障害や軽傷、死亡や重傷を受ける可能性が想定されます。こちらでは事故がおこった際の保証は致しかねますのでご了承ください。

　最後にこんな下品な企画に賛同していただいた、かっこいいイラストと装丁を手がけた NAIJEL GRAPH さん、リスニング CD「正しい英語発音の仕方」でぐっとくる声で担当していただいた堀内さん、プログラムの酒井さん、ニューヨークに長く暮らしてリアルな英語を知る松田さんのチェックと監修には「fuck は beat だ」と語る在米 25 年のバッドマザファッキンアーティストの MADSAKI 先生に生粋の表現をダブルにチェックしていただきました。心より感謝申し上げます。リアルなネイティブの会話をしたい、人として熱い感情表現をしたい皆様にこれらの表現が自由に使えるように少しでもお役に立てれば幸いであります。

英語表現研究会

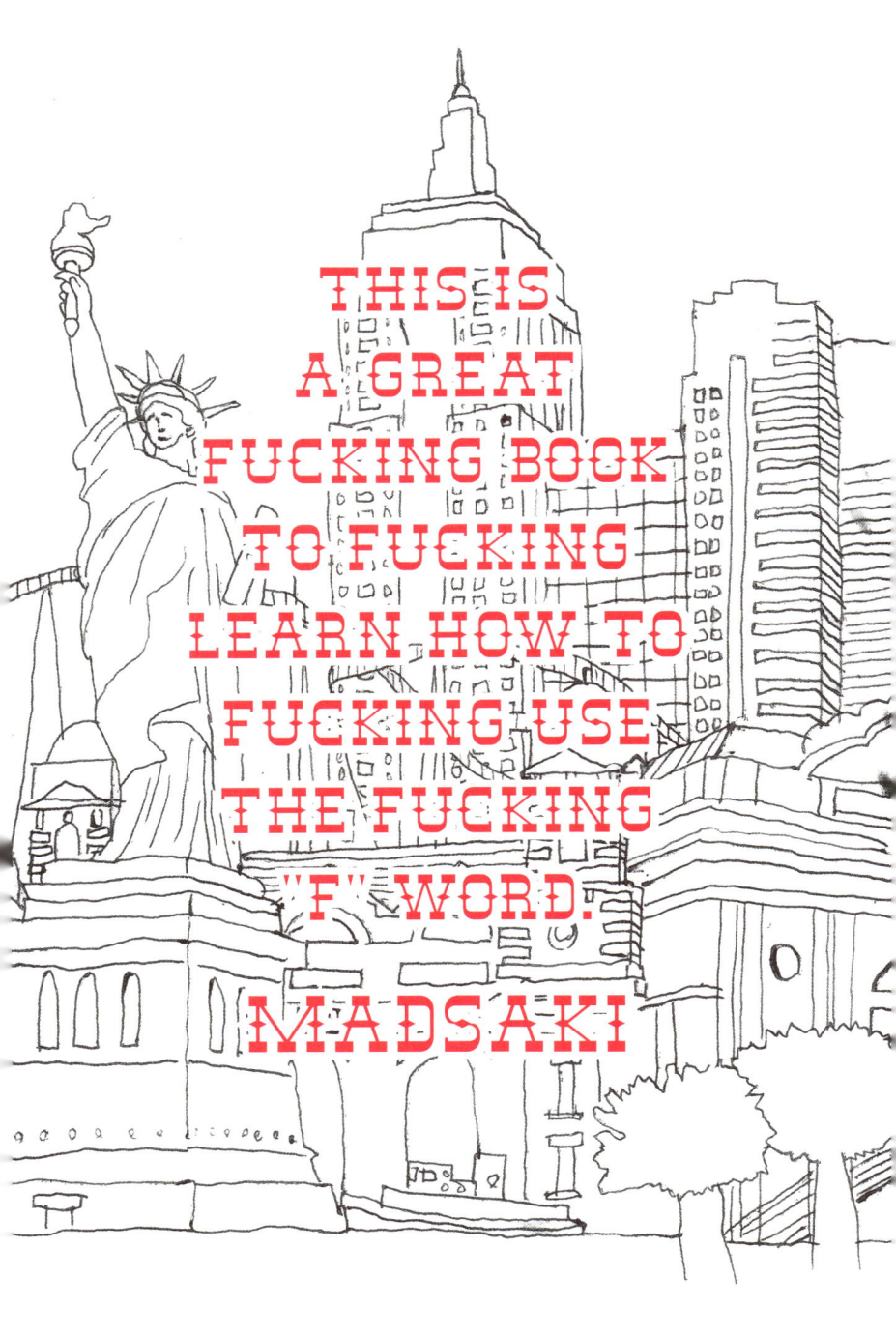

THIS IS A GREAT FUCKING BOOK TO FUCKING LEARN HOW TO FUCKING USE THE FUCKING "F" WORD.

MADSAKI

HOW TO USE FUCK

正しいFUCKの使い方

学校では教えてくれない、取扱注意の
Fuck、Shit、Damn、Hell を使った 99 フレーズ

CONTENTS

CHAPTER 1	Fuck フレーズ 40 ………… 007
CHAPTER 2	Shit フレーズ 30 ………… 083
CHAPTER 3	Damn フレーズ 14 ………… 137
CHAPTER 4	Hell フレーズ 15 ………… 155
コラム	fuck を使った名言・迷言 ………… 080
コラム	shit を使った名言・迷言 ………… 082
コラム	Shit、crap を使った名言・迷言 … 135
コラム	damn を使った名言・迷言 ………… 136
コラム	hell を使った名言・迷言 ………… 154
INDEX	………… 174

CHAPTER 1

- FUCK -

Fuckは、ファックと呼ぶ。【動詞・他動詞】①…と一発やる ②＜人に＞ひどい扱いをする ③へまをやって…台無しにする（+up）【自動詞】①一発やる、性交する ②［…に］ちょっかいを出して怒られる［with］【名詞・C】①［通例 a～］性交 ②［通例 a～］性交相手 ③= fucker. ④［the/a～；強意的に］《語気を強めるために用いるだけで特に意味はない》【間投詞】くそったれ！、ちくしょう！(小西友七/南出康生編 (2009)『ジーニアス英和辞典』第4版．大修館書店．) ＊名詞には、数えられるものに C (countable)、数えられないものに U (un-countable) と表記してあります。4文字語の代表であり、性的な俗語のため、その用語を使うことは、非常に下品、タブーとして捉えられている。だが、多くは直接的な意味合いで使われることはなく、恐怖、怒り、嬉しい驚きに思わず発する言葉として使用する。ほか「Very」の代わりに強調して表現することが多い。声のイントネーションによって「超すごい」とも「超ひどい」ともとれる言葉。語源については様々な説があり、Fornication Under Consent of the King（王の命による姦淫）、Fornication Under Command of the King（王の命令による姦淫）の略であるとする説やオックスフォード辞典によれば、ゲルマン語の「打つ」、「擦る」、「セックスをする」といういくつかの言葉が語源という説もある。1400年代以前から話し言葉として存在していたと考えられ、20世紀に入って、印刷不可の言葉として認識され、伏字「f***」や「frack」「frick」「fワード」などに置換えていた。

CHAPTER 1
FUCK 01
トラック01))

Fucking "A"

すげえ、最高、そのとおり、
やった、まじかよ……

ポイント
語源には、諸説ある。ひとつはミリタリーからで、
兵士たちの戦いの熱「Fucking Affirmative」（超積極的）が短縮されたという説。
ほか A は「ace」、「absolutely」や「asshole」などを指すとも。

スタンダードな表現
fricking "A"

"Red Sox won."

Catherine
& Prince William

"Fucking "A"!"

「レッドソックスが勝ったぞ。」
「やったぜ！」

CHAPTER 1
FUCK 02
トラック02

(He organizes too) fucking much.

（彼は超キレイ好き）過ぎる。

ポイント
「fucking much」は、副詞を強調した表現で使われる。

スタンダードな表現
He organizes too much.

He organizes too fucking much.

Boy George

彼は超几帳面過ぎるの。

CHAPTER 1
FUCK 03
トラック03 »

Fucking amazing.

超すばらしい

ポイント
「fucking 〜形容詞」は、形容詞をさらに高めた表現で使われる。
ほか「fucking good」（超いい）などの表現もある。

スタンダードな表現

She is so amazing.

This pizza is fucking amazing.

Barrack Obama

このピザは超おいしい。

CHAPTER 1
FUCK 04
トラック04))

Abso-fucking-lutely./ Deli-fucking-licious./ Fan-fucking-tastic!/ In-fucking-credible!

もちろん／超おいしい／超すてき／まじ、信じられない

ポイント
単語の合間に「fuck」を入れることで、
超前向きな言葉に変換した強調造語。

スタンダードな表現
Absolutely., Delicious., Fantastic!, Incredible!

"What do you think of this sushi?"

Mark Zuckerberg

"Deli-fucking-licious!"

「この寿司どう？」
「激うま！」

CHAPTER 1
FUCK 05
トラック05 🔊

Are you fucking with me?

ばかにしてんの？、うそついてるの？、もてあそんでるの？
怒らせてるの？、挑発してるの？

ポイント
「fuck with 誰それ」は、誰それを冗談やばかにしている意味がある。
怒りながら言う場合と笑いながら言う場合で、
事の重要さは違うということに気をつけよう。

スタンダードな表現
Are you messing with me?

"I slept with your girl!"

Justin Timberlake

"Are you fucking with me?"

「お前の彼女と寝ちった！」
「本気で言ってんのか？」

CHAPTER 1
FUCK 06
トラック06))

下品な言い方

Did you fuck her?
Was she a good fuck?

彼女とやったの？ よかった？

ポイント
男同士の会話でセックスしたことを下品で略式に言う場合に使う。
よかったのか、またはよくなかったのかという
感想について触れる場合が多い。

スタンダードな表現

Did you screw her?
Was she a good screw?

"Did you finally fuck her last night?"

Platon
& Aristotelos

"Yeah man. She's a great fuck."

「昨晩は彼女とどうだった？」
「すげえよかったよ。」

CHAPTER 1
FUCK 07
トラック 07

Don't fuck it up.

たのむからちゃんとしてよ、しくじるなよ
めちゃめちゃにしないでよ、台無しにするなよ

ポイント
「fuck up」は、ヘマをしでかした時の表現。
「fuck 誰それ up」「fuck up 誰それ」で、
誰かやその物を傷つけた時に使う。

スタンダードな表現
Don't mess it up.

Just don't fuck it up!

Akira
Kobayashi

たのむから、台無しにするなよ。

CHAPTER 1
FUCK 08
トラック08

Don't fuck me over.

なめんなよ、裏切るなよ、だますなよ、利用するなよ

ポイント
「fuck someone over」は、お金や物の貸し借りなど上から目線で
言うことで、約束をなかったことにする、人を欺く時に使うフレーズ。
その否定文になるので「だますなよ」と相手に威圧できる。

スタンダートな表現
Don't screw me over.

I'm trusting you with the drugs, don't fuck me over.

The Wolf
of Wall Street

お前にドラッグを渡すから、
裏切るなよ。

CHAPTER 1
FUCK 09
トラック09

Don't fuck with me.

**からかってんじゃねーよ、ばかにするなよ、
うそつくなよ、怒らせるなよ、もてあそぶなよ**

ポイント
前述の「Are you fucking with me」の否定文。
相手に対してじゃましないように威圧させたい時や
恐怖感を覚えさせるため強気に発言をする時に使う。

スタンダードな表現
Don't mess with me.

Don't fuck with me fellas.

Joan Crawford

からかわないでね、みなさん。

CHAPTER 1
FUCK 10
トラック10

For fuck's sake.

一生のお願いだから、なんてことだ、いいかげんにしろ

ポイント
本当にお願いするための強調表現。
使い方で「なんてことだ」という驚き、
「いいかげんにしろ」など拒絶の表現にも使われる。

スタンダードな表現
For god's sake.

Do me a favor and just shut the fuck up for fuck's sake.

Cat

たのむから、だまってろ。

CHAPTER 1
FUCK IT
トラック 11

Fuck it.

いいよ、わかったよ、好きにしろ
くたばれ、ほっておけ

ポイント
もうどうでもよくなった時、
また負けを認めた時に使う。

スタンダードな表現
Screw it.

Fuck it, you win. I don't want to play anymore.

Don Draper
(Mad Men)

もういいよ。
お前の勝ちだ。もうやりたくない。

CHAPTER 1
FUCK 12
トラック12

Fuck me.

ざけんな、もう最低、うせろ、
だまれ、やって（犯して）♡

ポイント
自分に対して腹が立つ時や
相手に言われて断固として拒否する時に使う。
また（女性が多く使うことが多いが）性交時に使われることもある。

Fuck me!
I'm late for work.

Layer Cake

やべぇ！
仕事に遅れる。

CHAPTER 1
FUCK 13
トラック13))

Fuck off.

消えろ、失せろ、黙ってて、あっち行け

ポイント
はっきりと言う「fuck off」は、その人に出ていって欲しい時に使う。
ただし、親しい友人が悪い冗談を言った時は、
だるく「ファックオ〜フ」という感じでじゃれながら返す。

スタンダードな表現
Get lost.

ほか例文
Fuck off dude, I'm trying to work.
（友人に向けて）「よう、あーっち行けよ。仕事しているんだから〜。」

- 032 -

Will you please fuck off?

Kate
Moss

（皮肉を交えて言う）
申し訳ないんだけど、消えてもらえます？

CHAPTER 1
FUCK 14
トラック14))

Fuck yeah. / Fuck no.

もちろん、最高、やったー／絶対いや

ポイント
返事を強調したい時、はい、いいえの前に使う。
場合によって最高！、その通り！になり、
「no」の場合は、止めてくれという強い意味合いになる。

スタンダードな表現
Hell yeah. / Hell no.

The short answer is "no". The long answer is "Fuck no".

Tony Montana
(Scarface)

返事を短く言うといやだね、
長く言うと絶対にいやだってことだ。

CHAPTER 1
FUCK 15
トラック15

Fuck you. / him. / her. / that. / em(them).

ばか野郎、ふざんけんな、くたばれ

ポイント
人や物に対して蔑む場合に使う怒りの表現。
Fuck off という言葉にも関連して消えろという意味を表す。
他者や社会に対しての拒絶や反発の場面で使用。

Fuck you!

Ted

ファックユー！

CHAPTER 1
FUCK 16
トラック16

Fuck! / Oh, fuck.

ちっ！／なんだよ

ポイント
怒りや痛みを表したい時に使用する。

スタンダードな表現
Shit.

Oh, Fuck!

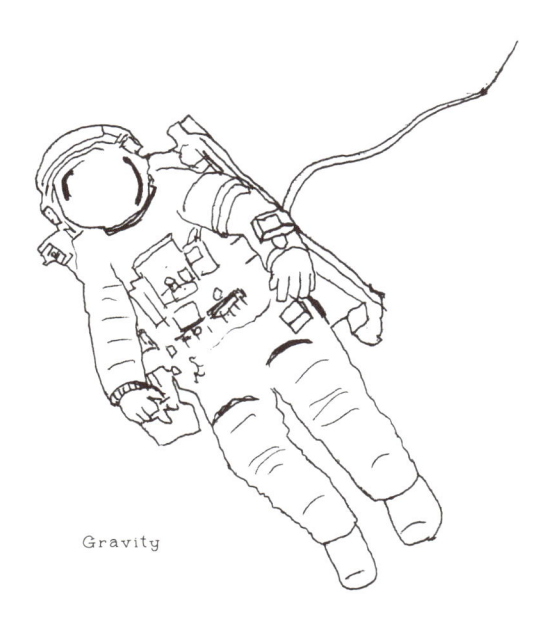

Gravity

まじかよ……

CHAPTER 1
FUCK 17
トラック17

Fuckable.

できると思う、(性的魅力のある相手に対して) いかす

ポイント
性交可能と性的魅力のある相手としていかしている場合に使う。
男女ともに用いるが、女性同士の会話で「ヤレると思う」として
使うことが多い。

スタンダードな表現
Possible.

Yeah, he's fuckable.

Sex and the City

そうね、彼とはヤレるかも。

CHAPTER 1
FUCK 18
トラック18

Fuck face.

チンカス野郎、いやな奴

ポイント
不快で迷惑でうざい人物に使う言葉。

スタンダードな表現
Scumbag.
Douchebag.

I can't believe you are such a fuck face.

KICK ASS

信じられないぐらい、
うぜー奴。

CHAPTER 1 FUCK 19
トラック19

Fucking Bastard.

クソ野郎

ポイント
ひどい人を言う。

スタンダードな表現
Bastard.

You fucking bastard.

このクソ野郎。

CHAPTER 1
FUCK 20
トラック20))

Fucking bullshit.

絶対にデタラメ、ありえねー、やってられねーよ

ポイント
「Bullshit」(デタラメ)を強調した表現。
絶対にあり得ないことに対して言う。

スタンダードな表現
Bullshit.

This is fucking bullshit!

American Hustle

これは、絶対にデタラメだ。

CHAPTER 1
FUCK 21
トラック21

So fucking familiar.

よく知っている

ポイント
どこかで見たり聞きおぼえのある
なじみ深いことを強調した表現。

スタンダードな表現
So familiar.

ほか例文
This fucking place looks so fucking familiar.
ここはなんかよく知っている場所だ。

Do I know you?
You look
so fucking familiar.

Michael & …….

知り合いだっけ？
どこかで見た顔なんだよね。

CHAPTER 1
FUCK 22
トラック22))

攻撃用語

Go fuck yourself.

うるせえ、だまれ消えろ、くたばっちまえ

ポイント
相手に対して嫌悪、怒り、フラストレーションをぶちまけ、
侮辱する最後のキメ言葉として使う。
「fuck you」よりグレードが高い言葉。

スタンダードな表現

Go screw yourself.

Go fuck yourself.
Get the fuck out of here.

Sid Vicious
(Sex Pistols)

うるせえ、出てけ。

CHAPTER 1
FUCK 23
トラック23

Holy fuck!

（驚きながら）うそでしょ！

ポイント
最上級に驚いた時に使う。
ほか「holy shit」「holy fucking shit」とも言う。

スタンダードな表現
Jesus Christ.

Holy fuck. How did that money get here?

Bill Gates

うそ！
このお金はどこから来たんだ？

CHAPTER 1
FUCK 24
トラック24

I don't give a fuck.

**どうでもいいよ、なんでもいいよ、全く気にしない
かまうもんか、知ったことか**

ポイント
「Don't give a fuck」は、その対象についてもう気にしなくなった時に使う。
ほか「I don't give a shit」とも言う。

近い表現
I couldn't care less.

ほか例文
I don't give a fuck, I'm buying new iphone.
「なんでもいい、俺は新しいiphoneを買う。」

I don't give a fuck.

Edward
Snowden

どーでもいいよ。

CHAPTER 1
FUCK 25

トラック25

I / He / She / They fucked up.

やっちゃった、ヘマした、しくじった
ひどく混乱する、心が乱れた、気が変になった

ポイント
「(be) fucked up」は人がドラッグ、お酒、けんか、
仕事のし過ぎで体だけではなく、精神的に完全にノックアウトをくらったり、
めちゃくちゃになった時や物、状況がひどく混乱した状態を表す。

スタンダードな表現
messed up,
They messed him (her) up.

You fucked up!

Muhammad Ali

あ〜あ、やっちゃったね。

CHAPTER 1
FUCK 26
トラック26

Motherfucker. Muthafuka. / You Fucker.

ばか野郎、カス／サイテーな奴

ポイント
「Mother fucker」は、直訳するとマザコンのこと。
相手をけなす表現。「You Fucker」は失礼で、
気に触る嫌な奴やいじわるな人に対して使用。
どちらも最後の語尾を上げて言うと、反対に喜びの言葉に変じる。
もし難しい場合は、「Great」をつけて、
サイコーな奴という褒め言葉として使う。

90% of the human race is a bunch of selfie fuckers.

Academy Awards

人類のほとんどは
自撮りをするサイテーな奴で構成されている。

CHAPTER 1

FUCK 27

トラック27))

Shut the fuck up.

(攻撃的な)うるせー、
黙れ、(友人同士で)まじで!?、冗談言っちゃって

ポイント
「shut up」(黙る)に fuck を使った強調表現。
はっきり言うと攻撃的になり、友人同士でゆる〜く言うと、
意味合いは反対になる。

スタンダードな表現
Shut the hell up.

"Yo, I won the lottery man."

Joan Holloway
(Mad Men)

"Shut the fuck up!"

「宝くじが当たっちゃったよ。」
「まじで!?」

CHAPTER 1
FUCK 28
トラック28

Stop fucking around.

じゃましないで、あそんでないで、
ふざけないで

ポイント
「fuck around」は真面目にしてない様子を表す。
大概、終わらせなければいけない大事な仕事がある場合に使う。

スタンダードな表現
Stop fooling around.

Stop fucking around and get back to work.

Iron Man

ふざけてないで
仕事しろ。

CHAPTER 1
FUCK 29
トラック29

That's fucking stupid.

それ、超ばかげている

ポイント
「fucking」をつけて強調した表現。
こちらも使い方によってすごいものに対して賛辞表現にも使う場合がある。

スタンダードな表現
That is so stupid.

What you just did is fucking stupid.

Fast Times
At Ridgemont High

君のやったことって、超ばかげたことだ。

CHAPTER 1
FUCK 30

トラック30

What a fuck up.

**なんてドジを踏んでしまったの、
なんて役立たずなんだ、なんてばかな奴**

ポイント
「fuck up」は台無しにする、しくじる、ぶち壊すという意味。
事をだめにするということは、役立たずな人という意味も含んだ言い方。

スタンダードな表現
What a screw up.

What a fuck up!

Amy
Winehouse

なんてばかな奴！

CHAPTER 1
FUCK 31

トラック 31

What a stupid fuck.

大ばかもん

ポイント
「fuck」をつけることで stupid を強調させた言い方。
ほか、「What a damb fuck」とも言う。

スタンダードな表現
What a fool.

What a stupid fuck.

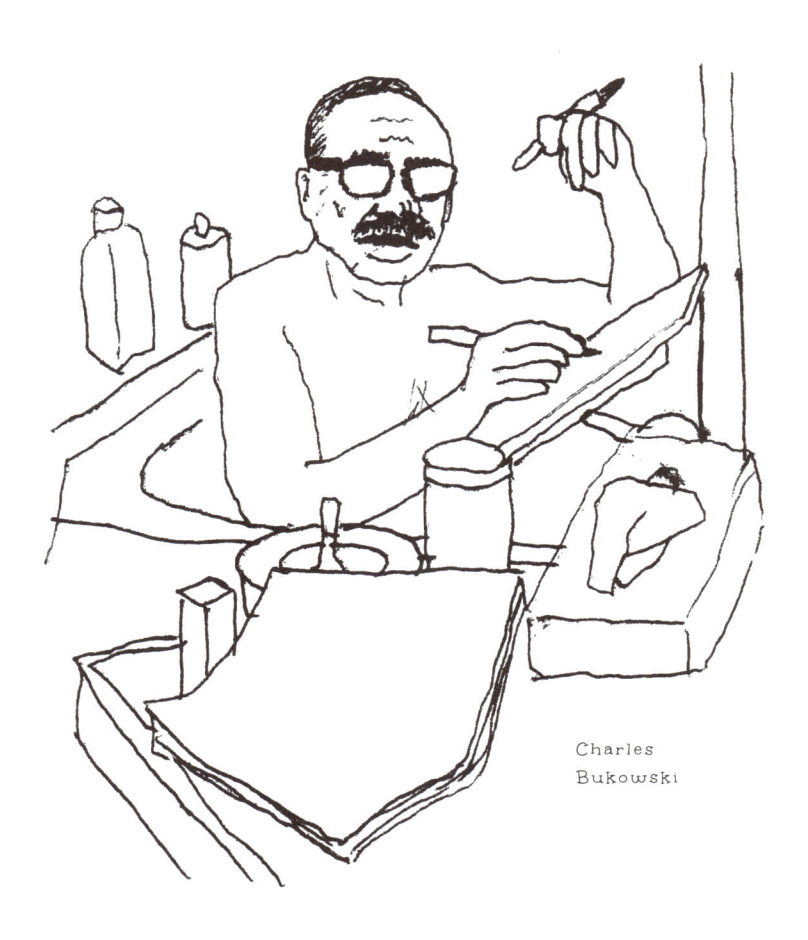

Charles Bukowski

大ばかもん。

CHAPTER 1
FUCK 32

トラック32

5W1H 活用表現

What the fuck?

なんなんだよ？ どうなってるんだよ？、
（いい意味で）まじかよ!?

ポイント
怒っている、イライラしている、
混乱している時によく使われるフレーズ。
また、いい意味でうそでしょ？という驚きにも使われる。

スタンダードな表現

What the hell?

頭字語

WTF

I thought it was coffee! What the fuck?

Lady GaGa

なに？ コレ。 コーヒーだと思ったわ。

CHAPTER 1
FUCK 33
トラック 33

5W1H 活用表現
What the fuck 編

Thermae Romae

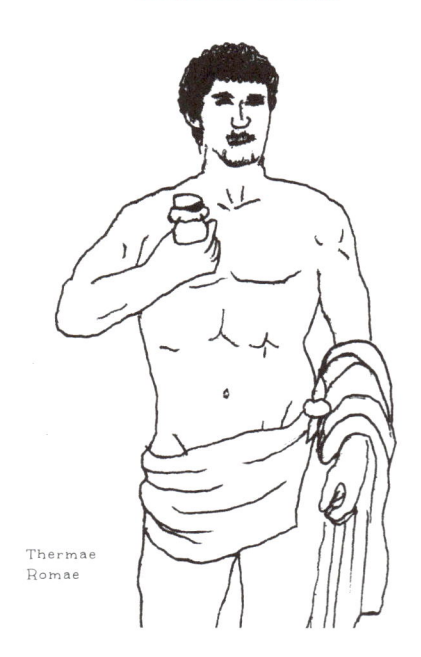

What the fuck are you doing here?

ここで一体なにやっているんだ？

ポイント
「the fuck」をいれることで「一体」なにを強調した表現。
普通では考えられない行動をした人に使う。

スタンダードな表現
What are you doing here?

5W1H 活用表現
What the fuck 編

CHAPTER 1
FUCK 34
トラック 34

Brigitte Bardot

What the fuck are you talking about?

意味わかんねー、なに言っちゃっているの？

ポイント
「the fuck」をいれることで「一体」なにを強調した表現。
普通では考えられない会話をした人に使う。

スタンダードな表現
What are you talking about?

CHAPTER 1
FUCK 35
トラック35

5W1H 活用表現
What the fuck 編

The Devil Wears Prada

What the fuck are you thinking?

一体なに考えてるんだ？、お前大丈夫？

ポイント
「the fuck」をいれることで「一体」なにを強調した表現。
普通では考えられない行動をした人に使う。

スタンダードな表現
What are you thinking?

- 074 -

CHAPTER 1
FUCK 36
トラック36

5W1H 活用表現
What the fuck 編

The Hangover

What the fuck is going on?

一体なにが起きているんだ？／（友だち同士の挨拶として）どう元気？

ポイント
「the fuck」をいれることで「一体」なにを強調した表現。
普通では考えられない行動をした人に使う。
友人にこのフレーズを言われたら、返事は「Not much.」と返そう。

スタンダードな表現
What is going on?

CHAPTER 1
FUCK 37
トラック37))

5W1H 活用表現
What the fuck 編

Friday the 13th

What the fuck is with this guy?

こいつ頭おかしくない？、大丈夫か？

ポイント
「the fuck」をいれることで「一体」なにを強調した表現。
頭がおかしい人に出くわした時に言う。

スタンダードな表現
What is wrong with this guy?

- 076 -

5W1H 活用表現
Where the fuck 編

CHAPTER 1
FUCK 38
トラック 38

The Big Country

Where the fuck are you going?

一体お前はどこに行くの？

ポイント
「the fuck」をいれることで「一体」どこを強調した表現。
最終ゴールが間違った方向に行ってない相手に言う表現として使う。

スタンダードな表現
Where are you going?

- 077 -

CHAPTER 1 — FUCK 39
トラック 39

5W1H 活用表現
Where the fuck 編

Where the fuck are we?

一体、オレ達どこにいるんだ？

ポイント
「the fuck」をいれることで「一体」どこを強調した表現。
道に迷ったり、泥酔や記憶を失って、なにをしたか覚えてない場合に使う。

スタンダードな表現
Where are we?

5W1H 活用表現
Who the fuck 編

CHAPTER 1
FUCK 40
トラック 40

Mr. Bean

Who the fuck are you?

一体、おまえ誰？

ポイント
「the fuck」をいれることで「一体」誰を強調した表現。
上から目線でものを言われて腹が立った時、
突然に現れたり、不明な相手に対して警戒表現として使う。

スタンダードな表現
Who are you?

FUCK名言

I collect your fucking head. - Kill Bil
あんたの頭を取りにきたわ。- 映画『キル・ビル』（2003）

Fucking A. I don't need no smart wife-killing banker to tell me where the bears shit in the buckwheat. - The Shawshank Redemption
もちろんだ。女房殺しの銀行屋にそんなことを教えてもらう必要はない。
- 映画『ショーシャンクの空に』（1994）

"Don't fuck me Tony."
"Okay. No. Okay? Fuck no!" - Scarface
「トニー、だますなよ。」
「わかった、いやだって？ 絶対にダメだ。」- 映画『スカーフェイス』（1983）

" [opens a case of guns] You're going to need one of these."
"Fuck me, Gene. I fuckin' hope not. Are you trying to scare the shit out of me? I mean, I fucking hate guns - Although that one is really pretty. What is that, Second World War?" - Layer Cake
「（銃のケースを開けながら）これが必要になってくるだろう。」
「ジーン、ふざけんな。絶対に使わないように願うぜ。オレを脅かそうとしているのか？
銃を使うのは嫌いなんだ。でもこれはいいな。なんだそれは、
第二次世界大戦の時のやつか？」- 映画『レイヤー・ケーキ』（2006）

"Knock knock."
"Who's there?"
"Go fuck yourselves." - Catch Me If You Can
「トン、トン。」
「誰ですか？」
「うるせ、だまって消えろ。」- 映画『キャッチ・ミー・イフ・ユーキャン』（2002）

"Carrie, you can't date your fuck buddy."
"Say it a little louder, I don't think the old lady in the last row heard you."
- SEX and the CITY
「キャリー、やり友（セフレ）とデートしちゃいけないわよ。」
「もう少し大きい声で言って。列の後ろにいるおばあちゃんは聞こえないと思うから。」
- 海外ドラマ『セックス・アンド・ザ・シティ』

FUCK名言

You're a sick fuck, Fink. - Barton Fink
フィンク、おまえは変態野郎だ。- 映画『バートン・フィンク』(1991)

That is fucked up! I would never say anything that fucked up to anybody, but you do because you're gross inside. You're so fucked up and gross.
- American Hustle
それって（精神的に）いっちゃってるじゃない！ 誰にもそんな事言わないけど、
あなたは中身が腐っているから言えるわ。やらかした腐った女よ。
- 映画『アメリカン・ハッスル』(2013)

Let me tell you something. There's no nobility in poverty. I've been a poor man, and I've been a rich man. And I choose rich every fucking time.
言っておきたいことがある。貧しさに尊さはない。オレは貧しくなったり、
金持ちもなった。そこでいつでもオレは絶対に金持ちを選ぶ。
- 映画「ウルフ・オブ・ウォールストリート」(2013)

What kind of fuckery is this - Amy Winehouse
こんなでたらめなんなの？ - エイミー・ワインハウス（シンガーソングライター）

Play it fuckin' loud! - Bob Dylan
でけー音で演奏しろ！ - ボブ・ディラン（ミュージシャン）

I don't fuck much with the past but I fuck plenty with the future.
- Patti Smith
過去はどうでもよくて未来は充分いじった。
- パティ・スミス（ミュージシャン・詩人）

Gain my trust don't play games it will be dangerous
If you fuck me over. - Eminem
信用を手にしたかったら、オレをだますような危険なお遊びをするなよ。
- エミネム（ヒップホップMC・プロデューサー）『Space Bound』歌詞

"Darling, my attitude is 'fuck it'; I'm doing everything with everyone."
- Freddie Mercury
オレはどーでもいいというスタイルだ。どこでも誰とでもやっている。
- フレディ・マーキュリー（QUEEN）

SHIT名言

Just keep moving forward and don't give a shit about what anybody thinks.
Do what you have to do, for you. - Johnny Depp
他の人がどう思うと絶対に気にせずに前向いて進み続けるんだ。
自分にとってすべきことをやるんだ。- ジョニー・デップ（俳優）

You're young, you're drunk, you're in bed, you have knives; shit happens...
- Angelina Jolie
若くて、酔っぱらってベッドに入ってナイフを持っていたら、大変なことが起きるわ。
- アンジェリーナ・ジョリー（女優）

He can't get away with that shit [that he's the sexiest man alive] at home.
He's not Brad Pitt. He's Brad, pick up your stuff. He's Brad, shut the door.
He's my Brad. - Jennifer Aniston
家では、（最もセクシーな）男であることに逃れられない。ブラッド・ピットじゃない。
彼はブラッド、とっとと荷物を持って。彼はブラッド、ドアを閉めて。
彼は私のブラッドだから。プライベートの彼には誰も近づかないで。
- ジェニファー・アニストン（女優）

He who shits on the road will meet flies on his return.
- South African Proverb quotes
道でうんこしたら、帰りにハエと会うだろう。- 南アフリカの諺

One's own shit doesn't smell - Old Russian saying quotes
自分でしたうんこは臭くない。- ロシアの昔の言い伝え

I wanna have my kicks before the whole shithouse goes up in flames!
- Jim Morrison
このクソみたいな家が炎上する前に楽しみたいってことさ！
- ジム・モリソン（The Doors）

The most essential gift for a good writer is a built-in, shock-proof, shit
detector. This is the writer's radar and all great writers have had it.
- Ernest Hemingway
よい書き手に必要な才能は、衝撃に耐えられ、素晴らしい探知力を備わっている。
これが書き手に必要なレーダーで、多くの有名な作家はその才能がある。
- アーネスト・ヘミングウェイ（小説家・詩人）

CHAPTER 2

- SHIT -

Shit は、シットと呼ぶ。タブーワード。【間投詞】［しばしば Oh～！］くそっ！畜生！《俗》《怒り・嫌悪・失望などを表す》【名詞】① U くそ、大便《遠回しに bowel movement, waste material, dirt: 小児語 poop》② ［a ～］排便行為；［the ～ s］下痢。③ U たわごと ④ C ［a ～：通例否定文で］くだらないもの（奴）⑤ U 屈辱、ひどい扱い【動詞】（自動詞）大便をする（他動詞）…をくそで汚す。（小西友七 / 南出康生編（2009）『ジーニアス英和辞典』第 4 版、大修館書店.）語源は 16 世紀辺りに使われた古期英語 crapchaff から分裂したと言われる。

- CRAP -

Crap（クラップ）も Shit の代わりにやわらかい表現として代用できる。《俗語》【名詞】① U 愚かな考え、たわごと（nonsense）② U ごみ〈くず〉（rubbish）、（映画などの）駄作 ③ U,C《主に米》うんこ、くそ ④ U ［通例否定文で］不当な扱い ⑤ ［～ s で間投詞的に］ばか（だなぁ）；ばかばかしい【形容詞】《英》質の悪い、下の下の、とことん劣悪な；下手な【副詞】《英》下手くそに【動詞】（自動詞）《主に米》くそをする《もう少していねいには go to the toilet ［《英》lavatory］、《米》go to the bathroom または単に to go といい、正式には empty the bowels を用いる。（小西友七 / 南出康生編（2009）『ジーニアス英和辞典』第 4 版 , 大修館書店 .）∴名詞には、数えられるものに C（countable）、数えられないものに U（un-countable）と表記してあります。

CHAPTER 2 SHIT 01
トラック 41

Shitloads of~

くさるほど、ものすごく一杯

ポイント
「shit」を使った強調言葉。
仕事、プレッシャーがある時にもつけて使う。

Crap を使った表現
Craploads of.

ほか例文
You have spent shitloads of your money.
ものすごくお金を使ったはずだ。
That's shitloads of fun.
すごく楽しそうだ。

I have shitloads of beer.

Snatch

くさるほどビールがあるぜ。

CHAPTER 2
SHIT 02

トラック42

All you ever do around here is eat, sleep and shit.

お前は、食って寝てクソするだけ

ポイント
本来の「shit」の意味を持つ。
なにもやっていない人に対して言う台詞。

All you ever do around here is eat, sleep and shit.

The Iron Lady

お前は、食って寝てクソするだけ。

CHAPTER 2 — SHIT 03
トラック43

Beat the shit out of~

(人を) たたきのめす、めった打ちにする

ポイント
相手を死ぬほどやっつけてしまう時に使う。
プレッシャーをかけるフレーズとしても使える。

Crap を使った表現
Beat the crap out of~

ほか例文
I'm gonna beat the shit out of him.
あいつをたたきのめしてやる。

Put the kitty down, or I will beat the shit out of you.

Rihanna

子猫を下ろせ、
でなきゃたたきのめすわよ！

CHAPTER 2
SHIT 04
トラック44

Bullshit. / Horseshit. / Chickenshit. / Apeshit.

うそ！でたらめ／ばかげたこと、ナンセンス／臆病、びびり／興奮して、怒って、夢中になって

ポイント
オス牛、馬、鶏、猿など動物を使ったshit用語。
「Horseshit」「Chickenshit」「Apeshit」はあまり使われない。

He is making up bullshit again.

Scarlett Johansson

また彼はホラ吹いているよ。

CHAPTER 2 — SHIT 05

トラック 45

I / you / we don't give a shit.

どうでもいいし、興味ない、気にしてない

ポイント
「shit」は、値打ちがないことを意味すると前述で述べたが、
「I don't care」と同じ意味で、「関係ない」意味になる。
「fuck」「damn」でも同じ意味。

Crap を使った表現
I / you / we don't give a crap.

"Aren't you worried about your life?"

Friedrich Nietzsche

"I don't give a shit."

「人生のこと心配していないの？」
「どうでもいいし、全然気にしてないよ。」

CHAPTER 2
SHIT 06
トラック46

Eat shit.

くそくらえ、苦しみに耐える

ポイント
直訳すると、うんこを食べる状況で、
罵倒表現または、腹立たしいことを甘受する時に使う。

Eat shit and die.

Mick Jagger

くっそたれ、死んじまえ。

CHAPTER 2
SHIT 07
トラック47

Feel like shit.

サイテーな気分だ、いやになる

ポイント
病気や二日酔いなど、自分に対して愛想がついて
自己嫌悪に陥った最低や最悪な時に使う。

When life sucks and you feel like shit.

Johnny Depp

人生最悪だし、気分も最悪だ。

CHAPTER 2
SHIT 08
トラック48

Get my / your shit together.

（態度、所有物を）しっかりする

ポイント
直訳すると、shit をしっかりまとめてやるという意。
「my/your」を付けることが多い。

スタンダード表現
Get my / your shit together.

ほか例文
You better get your shit together,
so you can start living independently again.
ちゃんとして、独立して生きていきなさい。

Reading a book called "How to get your shit together."

Benedict Cumberbatch

本「しっかりするために」を読書する。

…
CHAPTER 2
SHIT 09
トラック49

Do you believe his / her / that / shit?

そんな事／彼女／彼の言う事を信じるのか!?

ポイント
ここで言う「shit」は、くだらない物、値打ちがないこと、うそ、戯言を意味する。
それを信じるのは、違うだろと問いかける時に使う。

Crap を使った表現
Do you believe that crap?

Do you believe that shit?

Michelle
Obama

そんなの信じるのか？

CHAPTER 2 SHIT 10
トラック50

(Have) shit for brains.

ばかになる、どうしようもないばかだ

ポイント
直訳すると、脳にうんこがある状況＝ばかという表現。

Crap を使った表現
(Have) crap for brains.

You've got shit for brains.

Miranda Kerr

ばかになったのか？

CHAPTER 2
SHIT II

トラック51

I am not gonna take that shit.

くだらないことには乗らない

ポイント
「take shit」は、くだらないという意味がある。
もうしないという場合によく使う。
「take that shit」に続けて
「any longer. / from you. / him. / her. / them.」
をつけて表現する。

Crap を使った表現
I am not gonna take that crap.

I am not gonna take that shit from you.

Naomi Chiaki

あなたからのくだらないことには乗らない。

CHAPTER 2
SHIT 12
トラック 52

I gotta take a shit.

うんこしてくる

ポイント
「shit」をストレートな意味に使う時に
使うとリアルな表現になる。

Crap を使った表現

I gotta go crap.

I gotta take a shit.

Selena Gomez

うんこしてくる。

CHAPTER 2

SHIT 13

トラック53

In deep shit.

問題がたくさん、すごくまずいことになって

ポイント
直訳すると、うんちの（深い）中ということになる。
つまり問題が発生した、まずい状況の中となる。
ほぼ手遅れになるほど、問題が大きい場合の表現。

Help! I'm in deep shit.

The King's Speech

助けて！すごいまずいことになった。

CHAPTER 2
SHIT 14
トラック 54

That's some deep shit.

すげえ深いこと

ポイント
「深い」に「shit」をつけた強調表現。
酔っている時とかによく使われる。

That's some deep shit. You gotta write that down man.

Biz Markie

すげえ深いこと言っているな。
書きとめた方がいいぜ。

CHAPTER 2
SHIT 15
トラック55

I don't know jack shit about it.

それについてなんも知らない。

Kate Upton

Jack shit.

まったくない、なにも知らない

ポイント
その価値や知識について知らない、
なにもやっていない時に使う。

No shit!

うそっ!?

CHAPTER 2
SHIT 16
トラック 56

Eddie Murphy

No shit.

まじで!?、まじっすか!?、うそっ!?、別に当然だ

ポイント

驚いたり、相手が言ったことが信じられない時に使う表現。
「no way」「no kidding」と同義語。語尾を上げ気味に言うと「まじで!?」。
語尾を下げて言うと「当然だ」という意味になる。

CHAPTER 2
SHIT 17
トラック57

Not worth a shit.

なんの価値もクソもない

ポイント
「a shit」を否定することで、くだらない、
つまらないものという意味になる。

Twitter or facebook and SNS all aren't worth a shit to me.

Malcolm X

ツイッターまたはフェイスブックいずれの SNS は、
自分にとってなんの価値もない。

CHAPTER 2
SHIT 18
トラック58

Piece of shit.

くず、ポンコツ、ごみ

ポイント
物や人、物事に対して、役に立たなかったり、
壊れてしまった、値段が高い、ちゃんと機能しない場合に使う。

That piece of shit hasn't worked for years.

Joker from Batman

そのポンコツは何年も動いていない。

CHAPTER 2
SHIT 19
トラック59

Same shit, different day.

いつもと同じ変わりない

ポイント
違う日も同じ事をやって変わらない、
同じ事の繰り返しだという時に使う。

頭字語
SSDD

"How are you doin?"

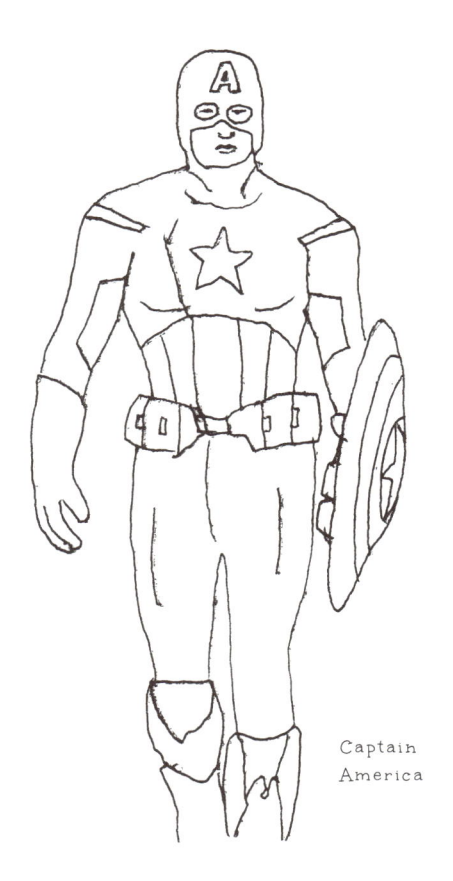

Captain America

"Same shit, different day."

「元気?」
「いつもと同じさ。」

CHAPTER 2
SHIT 20
トラック60

Shit a brick.

超ビックリした

ポイント
**うんこをもらすぐらい、ショックや恐怖、
怒ったり、緊張した時に使用する。**

You will shit a brick when you see this.

Emma Stone

これを見たら超驚くと思うよ。

… CHAPTER 2
SHIT 21
トラック61

Don't let me have to shit on you, for real.

怒らせんなよ、マジで。

The Artist

Shit on you.

くそくらえ

ポイント
相手の行動に対して非難する時に使う表現。

Don't shit your pants.

びびらないでよ。

CHAPTER 2
SHIT 22
トラック 62

Kurt Cobain

Shit my pants.

うんこをもらす、びびる

ポイント
「Don't」を用いて「びびるなよ」という意味で使うことが多い表現。
「your / his / her / their.」に置きかえても OK。

CHAPTER 2
SHIT 23

トラック63))

Shit!

やべっ！、参ったな

ポイント
悪い状況に怒りやいらだちを思わず口にする表現。
感嘆詞「AW」「Oh」などが入る場合も。

Shit! zombies!

Robin Thicke

やべ！ゾンビだ。

CHAPTER 3 — SHIT 24
トラック 64

Uh oh, look She's shitfaced.

おっと、見ろ、彼女は酔っぱらってる。

Pharrell Williams

Shitfaced.

酔っぱらい顔

ポイント
べろんべろんに酔っぱらってできあがった顔のこと。
「shit face」で「ばか面した奴」という意味になる。

Hey, you look shitty.

ちょっと、ひどい姿だ。

CHAPTER 3
SHIT 25
トラック 65

Shitty.

いやな、不愉快な、ひどい、下劣な、ばかげた

ポイント
相手や対象が質が悪く、もっとも下位、見下げ果てた、
不幸せで運のない残念なことや人の意味を含む言葉。

CHAPTER 2
SHIT 26
トラック66

The shit out of~

嫌というほど、できる限り

ポイント
「scare the shit out of」(腰が抜けるほど驚かす)、
「beat the shit out of」(完全にやっつける)を
前につけて強調表現することが多い。
ほか「shit out of luck」(全くついてない)にも使われる。

You scared the shit out of me.

Michael Jackson
Thriller

ちょっと、超ビックリさせないでよ。

CHAPTER 2
SHIT 27
トラック 67

The shit.

すげー、すばらしい

ポイント
「The」を付けることで、優越、卓越、
上級、上物である事や人について表現ができる。

Your car is the shit.

Eminem

お前の車、最高じゃん。

CHAPTER 3
SHIT 28
トラック68

I guess you're up shit's creek.

そりゃ、ヤバい事になりましたね。

Black Swan

Up shit's creek (without the paddle).

苦境に立たされて、途方にくれて、困り果てて

ポイント
直訳すると、カヌーを漕ぐかじがない状態で川の上流にいて、なんとかしないと下流に流されて滝から落ちるかもしれないことを想像してみるとやばい状況が分かるイディオム。

If Dad finds out how much money you spent, the shit will really hit the fan.

CHAPTER 3
SHIT 29
トラック69

もしどんだけお金を使ったか父親にばれたら、大騒ぎになる。

My Dad

Your Dad

The Forty-seven Ronin

(When) the shit hits the fan. / (when) the shit flies.

めんどう、やっかいなことになる、大騒ぎになる／困ったことになる

ポイント
直訳すると、扇風機に糞が当たるを想像してみるとやばい状況が分かるはず。
やっかいなことで、大騒ぎになることを意味するイディオム。

CHAPTER 2 — SHIT 30
トラック 70

Do you want to fight?
I bet you ain't got shit on me.

ケンカしたい？ きっとオレにかなわないぜ。

Freddie Mercury

You ain't got shit on me. / him. / her. / that. / them.

お前／彼／彼女／それ／彼らはオレにはかなわない、くそくらえだ

ポイント

通常「You don't have shit on me」と言う。「ain't」という言葉は、
昔の英国労働者階級のスラングで「am not/isn't/aren't/hasn't/haven't」として使う。

SHIT・CRAP名言

The first draft of anything is shit. - Ernest Hemingway
最初の原稿はどれもクソだ。- アーネスト・ヘミングウェイ(小説家・詩人)

I think in twenty years I'll be looked at like Bob Hope. Doing those president jokes and golf shit. It scares me. - Eddie Murphy
20年後には、オレはボブ・ホープみたいに見られるだろう。大統領なみのジョークとゴルフをやったりね。恐ろしいぜ。- エディ・マーフィ(コメディアン・俳優)

Ohhh man! I will never forgive your ass for this shit! This is some fucked-up repugnant shit! - Pulp Fiction
なんてこと、絶対に許さない! まじにめちゃめちゃに狂って気に食わないことね。
- 映画『パルプ・フィクション』

Everything government touches turns to crap. - Ringo Starr
政府がからむと全てがゴミに変わる。- リンゴ・スター(ミュージシャン)

Everything else that is striking out into new territory is a crap shoot.
- Steven Spielberg
その他の新しい領域に踏み込んでる映画は、博打みたいなもんさ。
- スティーブン・スピルバーグ(映画監督)

Out of all the guitars in the whole world, the Fender Mustang is my favorite. They're cheap and totally inefficient, and they sound like crap and are very small. - Kurt Cobain
世界のギターの中で一番好きなのはフェンダーのムスタングだ。安いし、役に立たないし、安い音を出すし、とても小さいから好きなんだ。- カート・コバーン(ミュージシャン)

I hate most of what constitutes rock music, which is basically middle-aged crap. - Sting
基本的に中年が作ったつまらないロックミュージックは嫌いだね。- スティング(ミュージシャン)

A sellout is putting your name on any piece of crap and then expecting people to buy it because it's got your name on it. - Marc Jacobs
セルアウトとは売れるだろうと期待して、ブランドネームをクソ商品に貼つけて売る事だ。- マーク・ジェイコブス(ファッションデザイナー)

DAMN名言

I no have education. I have inspiration. If I was educated, I would be a damn fool. - Bob Marley
私は教育を受けてない。インスピレーションはある。もし、教育を受けていたら、大ばか者になっていただろう。
- ボブ・マーリー（ミュージシャン）

Sex without love is a meaningless experience, but as far as meaningless experiences go its pretty damn good. - Woody Allen
愛のないセックスは意味のない経験だけど、実際なかなかいいものだったりする。
- ウッディ・アレン（映画監督）

If a woman tells you she's twenty and looks sixteen, she's twelve. If she tells you she's twenty-six and looks twenty-six, she's damn near fourty.
- Chris Rock
もし16歳に見える女性が20歳と言ったら、彼女はきっと12歳だよ。
もし26歳くらいに見える彼女が26歳といったら、絶対に40歳に近いね。
- クリス・ロック（コメディアン・俳優）

I'm far from being god, but I work god damn hard. - Jay Z
僕は神にはほど遠い、だけど超一生懸命に仕事はするぜ。
- ジェイ・Z（ラッパー、音楽プロデューサー）

You're the enemy. I don't want to sympathize with you. So... So don't... Don't cry like that in front of me! Damn it... - Masashi Kishimoto, Naruto
おまえは敵だ。同情なんかしないぜ。だ、だ、だからオレの前で泣くな。ちくしょう。
- NARUTO-ナルト-11巻　岸本斉史作

Jazz is known all over the world as an American musical art form and that's it. No America, no jazz. I've seen people try to connect it to other countries, for instance to Africa, but it doesn't have a damn thing to do with Africa.
- Art Blakey
ジャズはアメリカが生み出したアートとして知られている。ただそれだけのこと。
アメリカがなければ、ジャズもない。ジャズを他の国、例えばアフリカとかと
関連づけようとしてる人がいるけど、アフリカとジャズは何の関係もない。
- アート・ブレイキー（ジャズドラマー）

CHAPTER 3

- DAMN -

Damnは、ダムと呼ぶ。【動詞】(他動詞) ① [SVO] <人が>(人・物・事)をののしる、のろう; [間投詞] ちくしょう!ちぇっ!ああ!《swearword》のひとつ;通例怒り・困惑・失望など不快な感情を表すが、驚き・感嘆・同情などを示すこともある》② 《宗教》<神が><人>を永遠に罰する、地獄に落とす ③《通例受身》<人・物・事>をだめだと判定する、非難する;けなす、酷評する ④ <人・一生など>を破滅させる、台なしにする【名詞】① C のろい、ののしりの言葉 ②《男性語略式》[aˉ:通例否定文で] 少しも、鼻くそほども【形容詞】【副詞】《男性語略式》= damned. (小西友七/南出康生編 (2009)『ジーニアス英和辞典』第4版,大修館書店.) また用語を付け足すことで、「very much」と同じ意味合いの強調語になる。語源は、フランス語の「damnare」(非難する) と「com」(ひどく) が合わさった「condemn」(非難する)、ラテン語の「Ldamnare」(害を与える) からと考えられている。13世紀頃から使われていたが、18世紀〜1930年代まで、Damn とその派生語の印刷物での使用は避けられていた。

CHAPTER 3
DAMN 01
トラック71

DAAAMMNN, She's hot!

（叫び）信じられない、ちょーいい女じゃん

ポイント
素直にすごいという意味で肯定的に言う場合に使う。

Damn, She's hot!

Woody Allen

信じられない、ちょーいい女じゃん。

CHAPTER 3
Damn 02
トラック72

Damn all.

全くなにも

ポイント
「nothing at」の強調として「Damn」を使用したフレーズ。

ほか例文

You'll get damn all from him. If you do this.
それをすると、彼から全くなにももらえないぞ。

She knew damn all about cooking.

彼女は料理のことはまるで知らなかった。

CHAPTER 3
Damn 03
トラック 73

This soup is damn hot.
このスープはとっても熱い。

Spider-Man

Damn close. / Damn hot. / Damn tired.

超ギリギリ／超暑い、熱い／超疲れた

ポイント
「close」（ギリギリ）の前に「damn」を入れると、
「とても」「すごく」と同じように強調された表現。

ほか例文
It was damn close to hitting the car!
超ギリギリで車に当たるところだった。

- 142 -

Hey, did you see that damn fool?

あのばか見た？

CHAPTER 3
DAMN 04
トラック74

Bob Marley

Damn fool.

アホ、愚か者、ばかな奴

ポイント
もしかしたら、人に害がかかるかもしれないのに、
それを考えずに責任感のないばかな行動をする人を言う。

CHAPTER 3
DAMN 05
トラック75

You haven't tried the new stuff? Damn shame.

あの新製品試してみてないって？ それは残念だ。

Penélope Cruz

Damn shame.

すげえ残念だ

ポイント
「shame」(残念)に「damn」を使った強調表現。
「全く」「すごく」という意味になる。

That damn teacher gave us another pop quiz.

あのクソ先生がまた抜き打ちテストをやりやがった。

CHAPTER 3
DAMN 06
トラック76

The Godfather

Damn teacher. / Damn boss. / Damn thing is broken.

クソ先生／クソ上司／こいつ壊れてるじゃん

ポイント

「damn」はよい意味の反語として、人など名詞の前に「damn」を入れることで、
自身が感じている怒りを汚名や汚点にして強調した表現。
ほかに壊れた、使えない、どうしようもない物を指しても使う。

CHAPTER 3
DAMN 07
トラック77

I know you damn well.
お前のことはよーくわかっている。

Maggie Duran

Damn well.

確かに、ちゃんと

ポイント
「well」(よく) に「damn」を使った強調表現。
疑いの余地がないほど、確かなことに使う。

Damn. You lost your keys?

かぎを無くしたって？ マジかよ。

CHAPTER 3
DAMN 08
トラック 78

Daniel Radcliffe
from Harry Potter

Damn. / Damn it! / Damn you!

しまった／ちくしょう！／ちくしょーめ

ポイント

狼狽したり、うろたえた時に使う表現。もう少しのところで取り逃したり、
達成できなかった悔しい瞬間で思わず出る言葉。人に言う場合は
「go to hell」と同じように中指を立てたい時に使う。

CHAPTER 3
DAMN 09
トラック79

I'll be damned if that's true.

そんなことが本当であってたまるか。

MLB Baseball Player

Damned if~

断じて〜しない、そんなことあるものか

ポイント
もしこんなことなら、地獄に落とされたほうがマシだという意味。

Frankly, I don't give a damn what you think.

率直に言えば君の考えていることなんか、どうでもいいってことさ。

CHAPTER 3
DAMN 10
トラック 80

Larry Clark

Don't give a damn.

どうでもいいんだ

ポイント

「give a damn」(気にする) を「do not」と否定することで、気にならない、どうでもいいとなる。「don't give a fuck」よりは、少し弱い言い方。

CHAPTER 3
DAMN II
トラック 81

This is not worth a damn.

まったく価値がない。

Nina Simone

Not worth a damn

価値もない、なんの値打ちもない

ポイント
「not worth a plugged nickel」とも言う。
「damn」を入れることで「ほんの、少しも〜ない」と強調した表現。

Well, I'll be damned.
It is better this way.

ふ〜ん、なるほどね。このやり方がいいな。

CHAPTER 3
DAMN 12
トラック 82

Leonardo DiCaprio
AKA Jack Nicholson

Well, I'll be damned.

すっげえ、へえっ驚いた、なんて呆れたこと、なるほど

ポイント
予想に反してよかったり、
すごい場合に驚いて苛立ちながら言うフレーズ。

CHAPTER 3
DAMN 13
[トラック83]

You'll be damned if you do, and damned if you don't.

すると後悔するし、しないと後悔する。

Avril Lavigne

You will be damned for doing that.

それをすると後悔する（罰が当たる）ぞ

ポイント
P151の「dammed」の反語。人をとがめたり、非難する時に使う表現。
「to hell」と同じように使うことは可能。

God damn it!
Turn that damn music down!

音を下げろ！こんちくしょう！

CHAPTER 3
DAMN 14
トラック 84

Bob Dylan

God Dammit!

くそっ！、ちくしょー

ポイント

驚き、怒り、フラストレーションがたまって思わず発する表現。
基本は P147 の「damn」と同義語。

HELL名言

Bloody hell, Harry. That was not funny.
- Harry Potter and the Prisoner of Azkaban
(ビックリして) なんだよハリー、面白くないよ。
- 映画『ハリー・ポッターとアズカバンの囚人』(2004)

"Crazy as hell" - F. Scott Fitzgerald" The Great Gatsby"
本当にどうかしてる。
- F・スコット・フィッツジェラルド著『グレート・ギャツビー』

"The hottest places in hell are reserved for those who, in times of great moral crisis, maintain their neutrality." - John F. Kennedy
地獄の最も熱い場所は、道徳的危機の時に中立を保っていた人のために用意されている。
(中立はよくない。立場をはっきりすること) - ジョン・F・ケネディ (政治家)

I created Punk for this day and age. Do you see Britney walking around wearing ties and singing punk? Hell no. That's what I do. I'm like a Sid Vicious for a new generation. - Avril Lavigne
私が今のパンクを作り上げたの。ブリトニー・スピアーズがネクタイをして
パンクを歌っているの見た? 絶対ありえない。あれは私がやるのよ。
私は新世代のシド・ヴィシスなの。- アヴリル・ラヴィーン (シンガーソングライター)

To hell with circumstances; I create opportunities. - Bruce Lee
周囲の状況や環境なんかクソくらえだ。オレは自分でチャンスを生み出している。
- ブルース・リー (武道俳優)

"If you are going through hell, keep going." - Winston Churchill
地獄にいるならば、そのまま突き進みたまえ。- ウィンストン・チャーチル (政治家)

"We are each our own devil, and we make this world our hell."
- Oscar Wilde
私達はみなそれぞれ自分にとって悪魔であり、私達は自分の地獄を作っている。
- オスカー・ワイルド (詩人・作家)

I let that murdering psychopath blow him half to hell. —The Dark Knight
僕のせいであの異常な人殺しに半分殺されかけた。- 映画『ダークナイト』(2008)

CHAPTER 4

· HELL ·

Hell は、ヘルと呼ぶ。【原義：覆い隠されている所】【名詞】①〔しばしば H〕U 地獄（Heaven の対義語）② C,U《略式》生き地獄、地獄のような場所〔状態〕③《略式》[theˉ；文頭で；副詞的に]…なんてとんでもない；絶対に…ではない．(小西友七 / 南出康生編（2009）『ジーニアス英和辞典』第 4 版，大修館書店．) また怒り、いらだち、驚きの発声やののしる時、強意語としても使用する。【語源】は古期英語「包み隠す（国）」を意味する【形容詞】hellish からきたと言われる。ちなみにヘヴィメタルバンドの名前になりやすいトップに入る単語。

CHAPTER 4
HELL 01
トラック85

Like you hell of a lot.

超好き

ポイント

「hell of 〜」は、どえらい、すごい、非常に〜という意味があり、
ものすごい量や質、人の魅力などを表す時に使う。
「hell」が「very much」と同じように強調した表現。
かかる名詞や形容詞でいい場合と悪い場合の意味がある。

ほか例文

I like you hell of a lot.
あなたのこと超好き。

The book "How to use fuck" is a hell of a good book.

Andy Warhol

この本は非常にすばらしい本だ。

CHAPTER 4
HELL 02
トラック86

Are you going to eat all this? Bloody hell!

これ全部食べるのか？ うそだろ？

Ron Weasley

Bloody hell!

まじ？、ちくしょう

ポイント

なにか悪い事が起こったり、驚いた時に使う。
ほか「Bloody hot」（めちゃ暑い）など「Bloody」は、
超などの意味に使われる。主にイギリスで使われる表現。

Let's fuck crazy as hell today.

今日は、やりまくろうぜ。

CHAPTER 4
HELL 03

トラック 87

The Great Gatsby

Crazy as hell.

狂ったように、どうかしてる

ポイント

「Crazy」に「hell」をつけて強調した、はちゃめちゃな状況を示すフレーズ。
よい意味も悪い意味にも使うので文脈に注意して使おう。

CHAPTER 4

HELL 04

トラック88

Get the hell outta here!

どっかに行け！、消えろ！、まじで言ってんの!?

ポイント
「hell」は、怒りやいらだちを示す言葉として感情が高まった時に
はっきりと発音して使う。「outta」は「out of」の省略。
友だち間で冗談で言う場合は、やさしく言う。

You better get the hell outta here as soon as possible.

Harrison Ford

ここから早く立ち去ったほうがいい。

CHAPTER 4
HELL 05
トラック89

You suck. Go to hell.

お前は使いもんになんねーから早く行け。

Anchorman
The Legend Continues

Go to hell.

くたばれ、地獄に堕ちろ、うせろ

ポイント
口語として怒りやいらだちを示すお決まりの命令フレーズ。

"Do you like that girl who look like Britney Spears?"
"Hell NO!"

「プリトニー・スピアーズに似た女の子好き？」
「いや全然！」

CHAPTER 4
HELL 06
トラック90

Britney Spears

Hell yeah. / Hell no.

もち大丈夫／絶対にいやだ、とんでもない

ポイント

「no」「yeah」を強くした表現。しばしば喜びの表現として使われることも。
P34 の「fuck yeah. / no.」と同義語。

CHAPTER 4
HELL 07
トラック91

He raised hell when he found his house had no window.

彼は家に窓がない事に気づいて、大騒ぎをした。

Anthrax

Raise hell.

大騒ぎを起こす、ばか騒ぎをする、わめきたてる、問題を起こす

ポイント
とんでもなくすごい騒ぎを起こした時に使う。勢いがある表現としても使う。
ちなみに「Hell raiser」は「やっかい者」という意味。

He robbed a bank. He ran like hell but he got caught.

銀行強盗して、彼は必死に走って逃げて捕まった。

CHAPTER 4
HELL 08
トラック92

Skateboarder

Run like hell.

全速力で、必死で走る

ポイント
緊急事態など、とんでもなくすごい速さで走る時に使う。

CHAPTER 4
HELL 09
トラック93

5W1H 活用表現

What the hell. / What the hell?

なんという〜、どうなってもいいや／一体なんなんだよ？

ポイント
「What the hell」は、疑問系にするだけで意味が違うので注意。
驚いた時に使う強調表現。
P70 の「What the fuck」より弱い表現として活用できる。

What the hell is this.

Winston
Churchill

なんだよこれ？

CHAPTER 4
HELL 10
トラック94

5W1H 活用表現
What the hell 編

Run D.M.C.

What the hell is going on?

一体全体なにが起こっているんだ？

ポイント
「the hell」を入れることで「一体」とより強調した表現。
P75「fuck」より弱い言まわしになる。

> 5W1H 活用表現
> When the hell 編

CHAPTER 4
HELL 11
トラック 95

Singin' in the Rain

When the hell is the rain gonna stop?

雨は一体いつ止むんだ。

ポイント
「the hell」を入れることで「一体」とより強調した表現。

CHAPTER 4
HELL 12
トラック96

5W1H 活用表現
Where the hell 編

Marie Antoinette

Where the hell are you going?

一体どこに行くんだ？

ポイント
「the hell」を入れることで「一体」とより強調した表現。

- 170 -

> 5W1H 活用表現
> Who the hell 編

CHAPTER 4
HELL 13
トラック97

Angelina Jolie

Who the hell are you?

お前は一体誰だ？

ポイント
「the hell」を入れることで「一体」とより強調した表現。
P79 の「Who the fuck」より弱い言い方。

CHAPTER 4 HELL 14

トラック98

5W1H 活用表現
Why the hell 編

Les Misérables

Why the hell did that take so fucking long?

なんでそんなに時間がかかったの？

ポイント
「why」（どうして）に「the hell」をつけることで
「一体」とより強調した表現。

5W1H 活用表現
How the hell 編

CHAPTER 4
HELL 15
トラック99

George W. Bush

How the hell should I know.

そんな事わかるわけないじゃん

ポイント
なにかを聞かれた時に、絶対に知らないという返事を返す時に使う。
「the hell」をつけることで、知らないことをより強調した表現。

INDEX

A
Abso-fucking-lutely. ... 014
All you ever do around here is eat, sleep and shit. ... 086
Apeshit. ... 090
Are you fucking with me? ... 016

B
Beat the shit out of ～ ... 088
Bloody hell! ... 158
Bullshit. ... 090

C
Chickenshit. ... 090
Crazy as hell. ... 159

D
Damn. ... 147
Damn all. ... 140
Damn boss. ... 145
Damn close. ... 142
Damn fool. ... 143
Damn hot. ... 142
Damned if ～ ... 148
Damn it! ... 147
Damn shame. ... 144
DAAAMMNN she's hot! ... 138
Damn teacher. ... 145
Damn thing is broken. ... 145
Damn tired. ... 142
Damn you! ... 147
Damn well. ... 146
Deli-fucking-licious. ... 014
Did you fuck her?
Was she a good fuck? ... 018
Do you believe his/her/that shit? ... 100
Don't fuck it up. ... 020
Don't give a damn. ... 149
Don't give a shit. ... 092
Don't fuck me over. ... 022
Don't fuck with me. ... 024

E
Eat shit. ... 094

F
Fan-fucking-tastic! ... 014
Feel like shit. ... 096
For fuck's sake. ... 026
Fuck it. ... 028
Fuck me. ... 030
Fuck no. ... 034
Fuck off. ... 032
Fuck yeah. ... 034
Fuck you/him/her/that. ... 036
Fuck! ... 038
Fuckable. ... 040
Fuckface. ... 042
Fucking "A"! ... 008
Fucking amazing. ... 012
Fucking bastard. ... 044
Fucking bullshit. ... 046
Fucking much. ... 010

G
Get the hell outta here! ... 160
Get my/your shit together. ... 098
Go fuck yourself. ... 050
Go to hell. ... 162
God Dammit! ... 153

H
Hell no. ... 163
Hell yeah. ... 163
Holy fuck! ... 052
Horseshit. ... 090
How the hell should I know. ... 173

I
I am not gonna take that shit. ... 104
I don't give a fuck. ... 054
I gotta take a shit. ... 106

I/He/She/They fucked up.	056
In deep shit.	108
In-fucking-credible!	014

J
Jackshit.	112

L
Like you hell of a lot.	156

M
Mother fucker.	058

N
No shit.	113
Not worth a shit.	114
Not worth a damn.	150

O
Oh fuck.	038

P
Piece of shit.	116

R
Raise hell.	164
Run like hell.	165

S
Same shit different day.	118
Shit a brick.	120
Shit for brains.	102
Shit my pants.	123
Shit on you.	122
Shit!	124
Shitfaced.	126
Shitloads of ~	084
Shitty.	127
Shut the fuck up.	060
So fucking familiar.	048
Stop fucking around.	062

T
That's fucking stupid.	064
That's some deep shit.	110
The shit hits the fan./	
The shit flies.	133
The shit out of ~	128
The Shit.	130

U
Up shit's creek.	132

W
Well, I'll be damned.	151
What a fuck up.	066
What a stupid fuck.	068
What the fuck?	070
What the fuck are you doing here?	072
What the fuck are you talking about?	073
What the fuck are you thinking?	074
What the fuck is going on?	075
What the fuck is with this guy?	076
What the hell ?/ What the hell.	166
What the hell is going on?	168
When the hell the rain going to stop?	169
Where the fuck are you going?	077
Where the fuck are we?	078
Where the hell are you going?	170
Who the fuck are you?	079
Who the hell are you?	171
Why the hell did that take so fucking long!?	172

Y
You ain't got shit on me him/her/that/them.	134
You Fucker.	058
You will be damned for doing that.	152

- 175 -

正しい FUCK の使い方
学校では教えてくれない、取扱注意の
Fuck、Shit、Damn、Hell を使った 99 フレーズ

2014 年 4 月 30 日　初版第 1 刷発行
2022 年 4 月 15 日　初版第 9 刷発行

監修：MADSAKI
著者：英語表現研究会
日英文・ネイティブチェック：松田 敦子
Special thanks：T.O.SWEET、MECCA GODZILLA
教材 CD ナレーション：堀内 尚子
教材 CD プログラム：酒井 宏之（スタジオリム）
装丁・デザイン・イラスト：NAIJEL GRAPH
編集担当：喜多 布由子

発行者　佐野 裕
発行所　トランスワールドジャパン株式会社

〒 150-0001　東京都渋谷区神宮前 6-25-8　神宮前コーポラス
Tel. 03-5778-8599 / Fax. 03-5778-8590

印刷・製本 中央精版印刷株式会社
ISBN 978-4-86256-139-8
Printed in Japan
©MADSAKI, NAIJEL GRAPH, Transworld Japan Inc. 2014

◎定価はカバーに表示されています。
◎本書の全部または一部を、著作権法で認められた範囲を超えて
無断で複写、複製、転載、あるいはデジタル化を禁じます。
◎乱丁・落丁本は小社送料負担にてお取り替え致します。